Texte de Pamela Hickman • Illustrations de Heather Collins

AUTOUR DE NOUS

LES ARBRES

Texte français de Martine Faubert

Les éditions Scholastic

Données de catalogage avant publication (Canada)

Hickman, Pamela
Les arbres

(Autour de nous)
Traduction de : The kids Canadian tree book.
ISBN 0-439-00480-2

1. Arbres - Canada - Ouvrages pour la jeunesse. I. Collins, Heather.
II. Faubert, Martine. III. Titre. IV. Collection.

QK201.H5314 1999   j582.16'0971   C99-930998-6

Édition publiée par Les éditions Scholastic,
175, Hillmount Road, Markham (Ontario) Canada L6C 1Z7,
avec la permission de Kids Can Press Ltd.

Coordination de la publication : Trudee Romanek
Directrice de collection : Laurie Wark
Conception : Blair Kerrigan/Glyphics

4 3 2 1   Imprimé à Hong-Kong   9 / 0 1 2 3 4

Remerciements

Je remercie Laurie Wark et Trudee Romanek, à qui
revient la responsabilité de la présente publication. Merci
également à Lori Burwash, pour son travail
d'organisation, et à Blair Kerrigan, pour la conception
graphique de la collection. Enfin, je ne peux oublier mes
proches, pour leur indéfectible enthousiasme lors de
notre grande aventure de production de sirop d'érable.

*À James, Catherine
et Rebecca Hunter*
P. H.

TABLE DES MATIÈRES

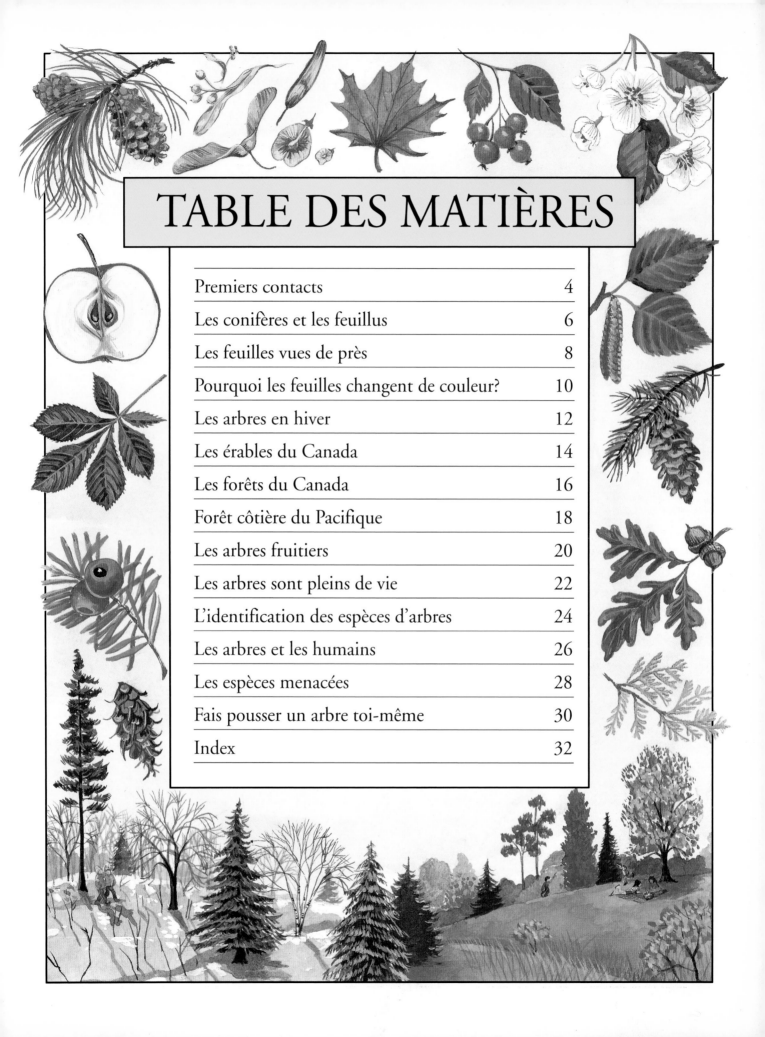

Premiers contacts

Aimes-tu grimper aux arbres ou te réfugier sous leur feuillage, par une chaude journée d'été? L'idée de croquer une pomme ou de mordre dans une pêche te fait-elle saliver? Es-tu fervent amateur de lecture ou d'observation des oiseaux? Si tu as répondu par «oui» à au moins une de ces questions, alors il est certain que les arbres tiennent une place importante dans ta vie. Le Canada est l'un des pays les plus boisés du monde. Les arbres sont une source de nourriture et un lieu de refuge pour toutes sortes d'animaux. Ils contribuent aussi à la qualité de l'air que nous respirons, de l'eau que nous buvons et du sol que nous cultivons. Ils nous fournissent également le bois dont on se sert pour construire les maisons ou pour fabriquer le papier. Où que tu habites, que ce soit à la ville ou à la campagne, tu as besoin des arbres pour survivre. Au Canada, on compte plus de 140 espèces d'arbres indigènes. Dans les jardins privés ou publics, on peut aussi admirer quantité d'autres espèces importées d'autres pays.

Dans les pages qui suivent, tu pourras apprendre ce que tous les arbres ont en commun et avoir un aperçu de la grande variété des espèces caractéristiques des forêts canadiennes.

Le tronc est une masse de bois recouverte d'écorce.

Les racines captent l'eau et les substances minérales contenues dans le sol.

Les feuilles permettent à l'arbre
de fabriquer sa nourriture.

Tous les arbres
produisent des
graines.

Les branches.

Les conifères et les feuillus

Tu as sans doute déjà remarqué que certains arbres perdent leurs feuilles à l'automne, tandis que d'autres les gardent tout l'hiver. Il y a deux grandes catégories d'arbres : les arbres à feuilles caduques, ou feuillus, et les arbres à feuilles persistantes, ou conifères. Les feuillus perdent leur feuillage à l'automne mais, chaque printemps, ils se parent de nouvelles feuilles. Le chêne et le bouleau sont des feuillus.

Les conifères, comme le pin ou l'épinette, perdent aussi leurs feuilles, qu'on appelle des aiguilles. Mais, au lieu de les perdre d'un seul coup à l'automne, ils en perdent tout au long de l'année, par petites quantités, et de nouvelles aiguilles repoussent aussitôt pour les remplacer.

Au printemps, les feuillus se couvrent de fleurs. Lorsque ces fleurs sont fécondées par le pollen, elles produisent des graines. Les graines sont souvent cachées à l'intérieur d'un fruit, comme les pépins à l'intérieur d'une pomme. Les conifères portent des cônes, au lieu de fleurs. Ils produisent des graines, mais jamais de fruits.

pin blanc

chêne blanc

Deux dans un

Le mélèze est à la fois un conifère et un arbre à feuilles caduques. C'est un conifère, car il porte des cônes et non des fleurs. Mais c'est aussi un arbre à feuilles caduques car, à l'automne, il perd toutes ses aiguilles et ne se pare de nouveau qu'au printemps suivant.

SÉSAME, OUVRE-TOI!

À la suite d'un incendie de forêt, le pin gris est souvent la première espèce d'arbre à repousser car, sous l'effet de l'intense chaleur, ses cônes éclatent, laissant les graines se disperser. Comme celles-ci germent en dix jours à peine, elles peuvent s'emparer du sol brûlé et éliminer les espèces concurrentes.

Les cônes du pin blanc abritent de petites graines très légères que le vent peut facilement emporter au loin. Lorsqu'il se met à pleuvoir, les cônes se referment afin de protéger les graines de l'humidité. Quand le beau temps revient, les cônes s'ouvrent de nouveau, permettant ainsi au vent d'emporter les graines mûres. Tu peux observer ce phénomène chez toi. Voici comment procéder.

Il te faut :
2 cônes de pin gris ou de pin sylvestre
une plaque à pâtisserie
un four
2 cônes (secs) de pin blanc ou de pruche, bien ouverts
un grand bol d'eau
du papier essuie-tout

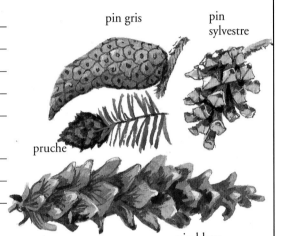

pin gris

pin sylvestre

pruche

pin blanc

1. Dépose un des deux cônes de pin gris ou de pin sylvestre sur la plaque à pâtisserie, puis demande à un adulte de t'aider à mettre le tout au four et de faire chauffer celui-ci à 150 °C pendant 15 minutes.

2. Compare ensuite le cône qui a subi l'action de la chaleur à celui qui est resté sur la table.

3. Maintenant, fais tremper un des deux cônes de pin blanc ou de pruche dans le bol rempli d'eau pendant 15 minutes.

4. Ensuite, compare le cône qui a trempé à celui qui est resté sur la table. Puis, dépose le cône mouillé sur le papier essuie-tout et laisse-le sécher. Qu'observes-tu maintenant?

Les feuilles vues de près

Observe bien les arbres de ton voisinage. De quelle couleur en sont les feuilles? Les feuilles des arbres sont généralement vertes, à cause de la chlorophylle qu'elles renferment. Cette substance chimique contenue dans les feuilles permet aux arbres de pousser et de rester en bonne santé. À partir de l'énergie fournie par le soleil, de l'eau contenue dans le sol et du gaz carbonique de l'air ambiant, la chlorophylle permet à l'arbre de fabriquer les sucres dont il se nourrit. Ce phénomène s'appelle la photosynthèse.

Les feuilles des arbres prennent toutes sortes de formes et de grandeurs, suivant les espèces. Certaines sont d'une seule pièce, comme celles de l'érable : on les appelle alors feuilles «simples». D'autres, comme celles du vinaigrier ou du frêne, sont dites «composées», parce qu'elles se présentent comme un assemblage de petites feuilles disposées de chaque côté de la tige.

Examine les feuilles des arbres qui ornent ton jardin ou le jardin public de ton quartier. Y retrouves-tu les deux sortes de feuilles, simples et composées? Cherche des feuilles dont le bord est dentelé et d'autres dont le bord est lisse. En observant toutes ces petites différences, tu apprendras à reconnaître les différentes espèces d'arbres.

bouleau
à papier

saule
pleureur

érable
à sucre

caryer

tilleul

vinaigrier

frêne

chêne
rouge

Collectionne les feuilles

Tu peux ramasser les feuilles des arbres, vertes en été ou colorées en automne, pour en faire une collection. Commence par ramasser toutes les feuilles de formes différentes qui jonchent le sol. Avec du ruban adhésif ou de la colle, fixe tes feuilles d'arbres sur des feuilles de papier et inscris pour chacune le lieu où tu l'as trouvée, la date et l'espèce d'arbre à laquelle elle appartient, si tu la connais. Recouvre ensuite chaque montage d'une pellicule de plastique et range le tout dans un cahier à anneaux.

Si tu veux que ta collection se conserve plus longtemps, tu peux traiter les feuilles plutôt que de les emballer dans la pellicule de plastique. Voici comment procéder. Tu places tes feuilles d'arbres entre deux feuilles de papier ciré et tu recouvres le tout d'un linge à vaisselle. Tu demandes ensuite à un adulte de passer un fer à repasser bien chaud sur le tout. Sous l'action de la chaleur, la cire va fondre et imprégner les feuilles d'arbres. Ensuite, elle va refroidir et former une pellicule protectrice qui empêchera les feuilles d'arbres de se dessécher et de se décolorer.

érable à sucre
15 octobre
au jardin
public

bouleau
6 juillet
au chalet

Pourquoi les feuilles changent de couleur?

À la fin de l'été, lorsque tu vois le vert feuillage des arbres à feuilles caduques tourner au jaune, à l'orange, au rouge et au pourpre, tu sais que l'hiver arrivera bientôt. T'es-tu déjà demandé d'où venaient ces somptueuses couleurs de l'automne? En réalité, toutes ces couleurs, du jaune jusqu'au pourpre, sont déjà présentes dans les feuilles durant tout l'été. Mais elles sont masquées par la couleur verte de la chlorophylle, beaucoup plus abondante. Lorsque l'automne arrive, les feuilles cessent de produire la chlorophylle. En l'absence de cette substance de couleur verte, les autres couleurs deviennent visibles.

LES COULEURS CACHÉES

Tu peux faire apparaître les couleurs cachées dans les feuilles vertes des arbres. Voici comment procéder.

Il te faut :

des feuilles d'arbres, vertes

un bocal à large ouverture

de l'alcool à friction

une cuillère

des ciseaux

un filtre à café en papier

du ruban adhésif

un crayon

1. Déchiquette les feuilles d'arbres. Dépose les petits morceaux de feuilles au fond du bocal et verse dessus de l'alcool à friction, en quantité tout juste suffisante pour les recouvrir.

Attention! L'alcool à friction est un produit toxique. Ne l'utilise que sous la surveillance d'un adulte.

2. Remue ce mélange, puis laisse-le reposer pendant environ 5 minutes. Les couleurs contenues dans les feuilles vont ainsi se dissoudre dans l'alcool à friction.

3. Dans le filtre à café, découpe une bande de 4 cm sur 9 cm. Avec le ruban adhésif, fixe cette bande au milieu du crayon, par une extrémité.

4. Dépose le crayon sur le dessus du bocal, de façon que la bande de papier trempe dans la solution d'alcool à friction.

5. Observe ce qui se produit quand le filtre se met à absorber le liquide du bocal. Lorsque le filtre est presque complètement imbibé, retire-le du bocal, dépose-le sur une feuille de papier et laisse-le sécher.

6. Regarde maintenant le filtre. Tu y découvriras des bandes de différentes couleurs. Ce sont les couleurs contenues dans les feuilles vertes : du vert, de l'orangé et du jaune.

7. Refais la même expérience avec des feuilles d'automne. Retrouves-tu une bande de couleur verte sur la bande de filtre à café?

Les arbres en hiver

Certaines espèces d'animaux dorment tout l'hiver. Ils économisent ainsi leurs forces et s'évitent d'avoir à lutter contre le froid. Un peu de la même façon, les arbres se mettent au repos durant l'hiver et cessent de grandir. Pendant la belle saison, les feuilles des feuillus ont besoin de grandes quantités d'eau afin de fabriquer les substances nutritives nécessaires à cette catégorie d'arbres. Tant que le sol fournit de l'eau en quantité suffisante, les feuillus peuvent s'épanouir. Mais, en hiver, ils en sont privés, à cause du sol qui est gelé. Afin de survivre à cette période de disette, ils doivent empêcher leurs feuilles d'utiliser l'eau dont ils ont besoin. Pour ce faire, ils sécrètent une fine couche de liège à la base de la tige de chaque feuille. Au bout de quelques semaines, les feuilles ne tiennent presque plus à l'arbre. Il suffit d'un petit coup de vent pour les emporter.

couche de liège

Examine bien un feuillu en hiver. Il a l'air pratiquement mort, avec ses branches nues et son écorce brune ou grise. Mais, si tu regardes de plus près, tu apercevras des quantités de petits bourgeons le long des branches et des rameaux, de même qu'à leur extrémité. Chaque bourgeon est comme un petit écrin renfermant les feuilles et les fleurs qui s'épanouiront au printemps suivant. En examinant différentes espèces d'arbres, tu t'apercevras que les bourgeons varient en forme, en taille et en couleur, suivant les espèces. Certains sont même recouverts d'une mince couche d'une substance qui colle aux doigts; c'est une sorte de résine imperméable, permettant de garder les petites feuilles bien au sec à l'intérieur du bourgeon.

Un vieux chêne en pleine maturité peut porter jusqu'à 700 000 feuilles. Combien de temps te faudrait-il pour toutes les ramasser avec le balai à feuilles?

Qu'y a-t-il à l'intérieur?

Vers la fin de l'hiver ou le début du printemps, cueille quelques bourgeons provenant de différentes espèces d'arbres. Choisis-les le plus gros possible. Avec tes doigts ou une pince à épiler, retire les pellicules qui recouvrent les bourgeons. À l'intérieur, tu découvriras de petits germes, tout repliés sur eux-mêmes, qui donneront des feuilles au printemps. Lorsque le sol se met à dégeler et que les racines peuvent de nouveau pomper l'eau du sol, les bourgeons se gorgent d'eau et se mettent à grandir. Puis ils éclatent, laissant tomber les pellicules protectrices dont ils sont recouverts. De toutes petites feuilles, d'un vert tirant sur le jaune, se déploient pour ensuite grandir au soleil.

Les érables du Canada

Sur le drapeau du Canada, sur la plupart des timbres et sur la monnaie, on peut voir une feuille d'érable. L'érable est l'emblème du Canada. Dans chaque province canadienne, on rencontre au moins une espèce d'érable indigène. Consulte un guide d'identification et vérifie quelles espèces d'érables poussent dans la région où tu habites.

Dans un environnement forestier, les érables jouent un rôle important. Ils sont une source de nourriture pour toutes sortes d'animaux, comme les insectes, les oiseaux, les écureuils et les ratons laveurs. Souvent, ils leur fournissent aussi un abri pour construire leur nid. Et les feuilles tombées au sol, en pourrissant, dégagent des substances nutritives essentielles à toutes sortes de plantes.

C'est de l'érable à sucre qu'on tire le délicieux sirop d'érable. Les érables poussent partout dans le monde, mais ce n'est qu'au Canada et dans le nord des États-Unis qu'on en recueille la sève pour fabriquer du sirop.

LE SIROP D'ÉRABLE

Si, dans ton jardin, il y a un érable à sucre, tu peux l'entailler pour en recueillir la sève. Le tronc doit avoir au moins 75 cm de circonférence. La sève commence à couler au tout début du printemps, quand la température de l'air passe au-dessus de 0 °C pendant la journée, mais qu'elle retombe sous le point de congélation pendant la nuit.

Il te faut :

des chalumeaux de plastique ou de métal (tu en trouveras à la quincaillerie ou à la jardinerie)

une perceuse munie d'un foret de 11 mm

un marteau

2 grandes bouteilles de plastique pour boissons gazeuses, avec leur bouchon

des ciseaux

du fil de fer, fin

un seau

une grande casserole

une cuisinière

un morceau de feutre

un entonnoir

des pots fermant hermétiquement

une louche

de petits bâtons ou des goujons, de même diamètre que les chalumeaux

1. Demande à un adulte de t'aider à percer deux trous dans le tronc de l'érable, à environ 1 m du sol et d'une profondeur de 8 cm. Insère les chalumeaux dans ces trous et enfonce-les doucement à coups de marteau, de façon qu'ils tiennent solidement.

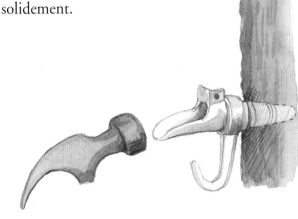

2. Dans chacune des deux bouteilles, fais un trou à environ 4 cm du fond. Ferme-les hermétiquement en serrant bien le bouchon, puis retourne-les et accroche-les aux chalumeaux, par le trou. Avec le fil de fer, attache les bouteilles au tronc de l'arbre.

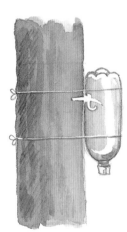

3. Deux fois par jour, rends-toi à l'arbre, pose ton seau sous chacune des bouteilles et retires-en le bouchon pour recueillir la sève. Referme-les hermétiquement avec le bouchon. Transvide la sève dans la grande casserole et dépose celle-ci dans un endroit frais ou mets-la au réfrigérateur.

4. Quand la casserole est pleine, demande à un adulte de faire bouillir la sève pendant plusieurs heures. Au fur et à mesure que l'eau s'évapore, le liquide prend une belle teinte dorée, une consistance plus épaisse et un goût plus sucré. Lorsque le sirop est à ton goût, demande à l'adulte de retirer la casserole du feu.

5. Pour filtrer le sirop, tapisse les parois de l'entonnoir avec le feutre. Glisse l'entonnoir dans l'ouverture d'un pot et, avec la louche, fais couler le sirop dans l'entonnoir. Retire l'entonnoir, referme le pot hermétiquement et dépose le tout dans un endroit frais et sec, à l'abri de la lumière, ou dans le réfrigérateur.

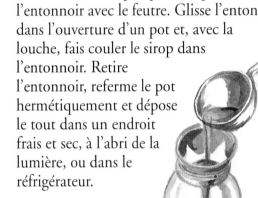

6. Lorsque la sève cesse de couler, au bout d'environ trois semaines, retire les chalumeaux de leur trou et, avec le marteau, bouche ceux-ci avec les petits bâtons ou les goujons. Ainsi, les insectes et les moisissures ne pourront pas pénétrer au cœur de l'arbre et miner sa santé.

Les forêts du Canada

Si tu te promènes dans une forêt située près de l'océan Pacifique, au sud-ouest de la Colombie-Britannique, tu ne verras pas les mêmes espèces d'arbres que dans les forêts du Québec. La raison en est simple; chaque espèce a besoin d'un climat et d'un sol particuliers pour croître de manière optimale. Au Canada, on compte huit zones forestières, qui se caractérisent chacune par certaines espèces d'arbres. Regarde la carte ci-contre et tu découvriras quelles zones forestières se rencontrent dans la province où tu habites.

Maintenant, si tu examines la carte dans son ensemble, tu verras que le Canada comprend des zones sans aucune forêt. Ce sont les régions des Prairies, dans le sud de l'Alberta, de la Saskatchewan et du Manitoba, et les régions nordiques, couvertes par la toundra, qui est un terrain gelé en hiver et détrempé en été, où les arbres ne peuvent pousser.

Dans sa partie la plus au sud, la toundra est bordée par la limite septentrionale des arbres. Les sols de ces régions nordiques sont trop pauvres et le climat en est trop rude pour que les arbres poussent à leur pleine hauteur. Dans les régions montagneuses, on observe un phénomène semblable. Les basses pentes sont boisées mais, au-delà d'une certaine limite en altitude, les arbres n'arrivent plus à pousser à cause de la force des vents, des basses températures et de la pauvreté des sols.

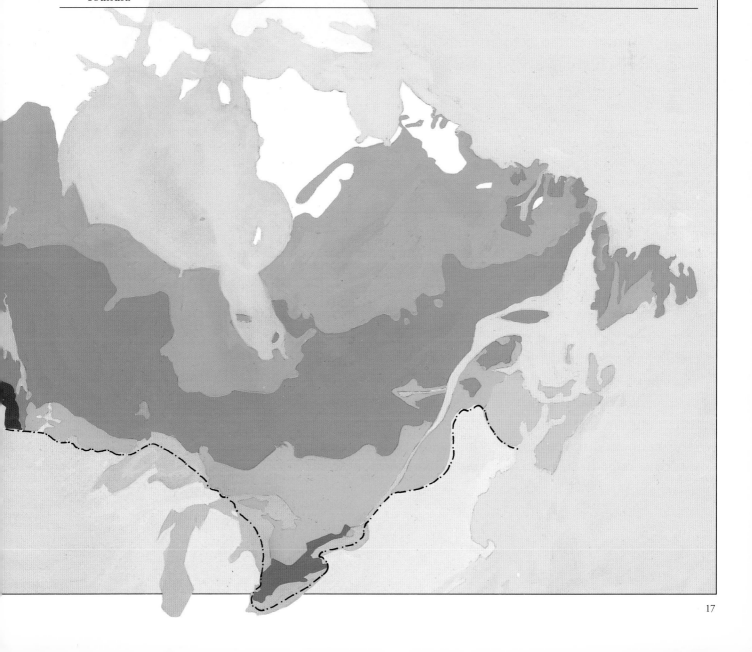

Zones forestières	Espèces caractéristiques
Forêt boréale – Forêt	Épinette blanche, épinette noire, sapin baumier, pin gris, bouleau à papier
Forêt boréale – Forêt et toundra	Épinette blanche, épinette noire, mélèze
Forêt boréale – Forêt et prairie	Peuplier faux-tremble, saule
Forêt subalpine	Épinette d'Engelmann, sapin subalpin, pin tordu
Forêt montagnarde de l'Ouest	Sapin de Douglas, pin tordu, pin ponderosa, peuplier faux-tremble
Forêt côtière du Pacifique	Thuya géant, pruche occidentale, épinette de Sitka
Forêt du Columbia	Thuya géant, pruche occidentale, sapin de Douglas
Forêt de feuillus de la zone tempérée	Hêtre à grandes feuilles, érable à sucre, noyer noir
Forêt mixte des Grands Lacs	Pin blanc, pin rouge, pruche du Canada et du Saint-Laurent, bouleau jaune
Forêt acadienne	Épinette rouge, sapin baumier, bouleau jaune, érable

Autres zones de végétation

Prairies	
Toundra	

Forêt côtière du Pacifique

Sur la côte du Pacifique, en Colombie-Britannique, le climat est doux et très pluvieux. Ce sont des conditions favorables à la croissance des arbres, qui y poussent mieux que partout ailleurs au Canada. C'est dans cette zone forestière que l'on trouve les plus grands et les plus vieux arbres du Canada. Certains ont plus de mille ans et atteignent la hauteur d'un immeuble de trente étages!

Si tu as la chance de te promener dans ces forêts, tu y verras d'immenses arbres, principalement des pruches occidentales, des épinettes de Sitka et des thuyas géants. Le sous-bois est tapissé de mousse, de fougères et de champignons. Ce type de forêts constitue un habitat idéal pour de nombreuses espèces d'animaux, depuis le cerf mulet jusqu'à la limace terrestre.

Une partie de la forêt côtière a été constituée en parc naturel, afin de la protéger. Mais ailleurs, la coupe du bois, effectuée à des fins industrielles, en menace la survie. Certains spécialistes de l'environnement estiment que, dans moins de trente ans, les zones forestières non protégées de la Colombie-Britannique seront presque totalement détruites. Il est vrai que l'on plante de jeunes arbres pour remplacer ceux qui ont été abattus. Mais il faut des centaines d'années pour qu'une telle forêt se reconstitue. Et, même si toute cette région se reboisait, la forêt qui la couvrirait ne pourrait jamais être la même que celle qu'on est en train de détruire. C'est pour cette raison que, partout au Canada et même ailleurs dans le monde, des groupes de pression réclament des différents paliers de gouvernement qu'ils interviennent afin que ces splendides forêts de l'Ouest soit davantage protégées, afin d'en empêcher la destruction.

La forêt côtière du Pacifique est abondamment arrosée : jusqu'à 4 m de pluie annuellement, soit une quantité d'eau équivalant à la hauteur d'une petite maison d'un étage.

Un géant parmi les géants

Le plus grand thuya géant du monde pousse sur l'Île de Vancouver, en Colombie-Britannique. On estime son âge à environ 2 000 ans. Il atteint la hauteur d'un immeuble de 20 étages. Son tronc est si gros qu'il faut au moins six enfants se tenant par la main pour en faire le tour.

Les arbres fruitiers

Une pêche bien juteuse, une belle pomme rouge dont la peau craque sous les dents, une prune à la chair fondante : quoi de plus délicieux! Ces fruits poussent au Canada, dans des vergers qui sont parmi les plus beaux du monde.

Au printemps, les arbres des vergers se couvrent de fleurs blanches et roses qui embaument et attirent les abeilles par milliers. Celles-ci butinent de fleur en fleur, afin de s'abreuver de nectar et de recueillir le pollen dont elles se nourrissent. Le pollen s'accroche aux poils qui recouvrent leur corps. Chaque fois qu'elles se posent sur une fleur, elles laissent tomber quelques grains de pollen. La fleur est ainsi fécondée, et une graine se forme, à l'intérieur d'une enveloppe charnue qu'on appelle un fruit. Le fruit sert à protéger la graine pendant sa croissance. Ensuite, il sert à attirer les animaux gourmands qui viendront le manger, avec les graines qu'il renferme. Les animaux rejettent ensuite les graines dans leurs excréments, contribuant ainsi à disperser l'espèce.

Les trois régions du Canada les plus favorables à la culture des arbres fruitiers sont la vallée de l'Okanagan en Colombie-Britannique, la péninsule du Niagara en Ontario et la vallée d'Annapolis en Nouvelle-Écosse. Quand tu iras faire les courses au marché en plein air ou à l'épicerie, regarde sur les affichages le lieu de provenance des différents fruits. Combien proviennent des vergers du Canada?

LES FRUITS SÉCHÉS

À l'automne, tu peux faire sécher des pommes et des poires et en faire provision pour tes collations, pendant l'hiver qui vient. Les fruits séchés sont aussi très faciles à emporter, quand on part en randonnée ou en camping.

Il te faut :
des pommes et des poires fraîches
un éplucheur
un couteau
deux plaques à pâtisserie
une cuisinière
des sacs de plastique
des attaches pour sacs

1. Demande à un adulte de t'aider à peler quelques pommes et quelques poires, à en retirer le cœur, puis à les trancher finement.

2. Dépose les tranches de fruits sur les plaques à pâtisserie, bien à plat en évitant qu'elles ne se chevauchent.

3. Demande à un adulte de préchauffer le four à 100 °C. Éteins le four et places-y les plaques à pâtisserie. Laisse-les au four plusieurs heures, en prenant soin de faire chauffer le four environ toutes les heures, à la température indiquée. Quand les fruits commencent à se rider, retourne-les et continue ce procédé pendant quelques heures encore.

4. Lorsque les fruits sont vraiment bien secs, tant en apparence qu'au toucher, et qu'ils sont complètement refroidis, répartis-les dans les sacs de plastique, en quantité suffisante pour une collation, puis ferme les sacs avec les attaches. Les fruits séchés seront ainsi à l'abri de l'humidité. Garde-les dans un endroit frais et sec.

S'il y a chez toi un foyer ou un poêle à bois, tu peux faire sécher des fruits suivant la méthode qu'auraient employée tes grands-parents. Avec une aiguille à repriser, enfile les tranches de fruits sur une longue ficelle. Demande ensuite à un adulte d'accrocher ta guirlande de fruits sur le manteau de la cheminée ou au-dessus du poêle à bois. La chaleur du feu les fera sécher rapidement.

Les arbres sont pleins de vie

Les arbres abritent quantité d'animaux : minuscules insectes, oiseaux de toutes sortes et petits mammifères, comme la martre ou l'écureuil. Ils leur fournissent de la nourriture et un abri contre la pluie, la neige et le vent. Bien des espèces d'oiseaux construisent leur nid dans les arbres, soit dans un creux, soit sur les branches. Ils se nourrissent de fruits et de graines, ou de toutes sortes d'insectes qui vivent dans les arbres. Ils y trouvent aussi des perchoirs où ils peuvent venir se reposer. Dans l'illustration ci-contre, tu peux apercevoir plusieurs espèces d'oiseaux dans les arbres, de même que toutes sortes de mammifères et d'insectes qui ont besoin des arbres pour survivre. La prochaine fois que tu iras te balader en forêt, compte combien d'animaux tu aperçois dans les arbres.

Curieux!

La sitelle à poitrine rousse construit son nid dans une cavité déjà toute faite dans le tronc d'un arbre. Elle enduit de résine de pin le pourtour de l'entrée afin, croit-on, d'éloigner les intrus.

Très curieux!

Certaines espèces de canards naissent dans des cavités haut perchées dans les arbres. Ce sont le canard branchu, le petit garrot, le garrot à œil d'or, le harle couronné et le grand harle.

Encore plus curieux!

Le pic chevelu creuse lui-même une cavité dans un arbre afin d'y installer son nid. Souvent, il le fait juste en dessous d'un champignon polypore, qui lui sert alors d'auvent.

L'identification des espèces d'arbres

Au Canada, on trouve des arbres de toutes les tailles et de toutes les formes. L'identification des espèces d'arbres est une occupation passionnante, que tu peux pratiquer en toutes saisons, où que tu habites. Choisis un arbre de ton voisinage et observe-le régulièrement pendant une année entière. Les feuillus sont affectés par des changements plus remarquables que les conifères. Fais des croquis de ton arbre ou prends-en des photos, quand il fleurit au printemps, qu'il est couvert de feuilles vertes en été, qu'il perd ses feuilles colorées à l'automne ou qu'il est complètement dépouillé, en hiver. En te servant de la liste de contrôle ci-contre et d'un bon guide d'identification des arbres, tu pourras connaître le nom de l'arbre que tu as choisi ainsi qu'identifier toutes sortes d'autres espèces.

Liste de contrôle pour l'identification des arbres

Les feuilles

Sont-elles en forme d'aiguille ou écailleuses?

Sont-elles grandes et plates?

Sont-elles simples ou composées?

Quelle forme ont-elles?

Ont-elles un bord dentelé?

Sont-elles lisses ou couvertes d'un fin duvet?

Sont-elles opposées sur la tige ou alternent-elles?

De quelle couleur sont-elles en été ? Et en hiver?

Les fleurs et les fruits

L'arbre porte-t-il des fleurs ou des cônes?

Si ce sont des cônes, quelle taille et quelle forme ont-ils ? Et sont-ils dressés vers le haut ou pendent-ils vers le bas?

Si ce sont des fleurs, de quelle couleur, de quelle forme et de quelle taille sont-elles?

Quand ils sont mûrs, les fruits sont-ils durs comme des noix ou tendres comme des cerises? Et de quelle couleur sont-ils?

De quelle forme, de quelle taille et de quelle couleur sont les graines?

L'écorce

L'écorce est-elle douce ou rugueuse au toucher?

Se détache-t-elle par petites écailles, par gros flocons ou par longs filaments? Pèle-t-elle par larges pans ou bien présente-t-elle de longues stries?

De quelle couleur est-elle?

Les bourgeons

Sont-ils de forme ronde ou allongée?

Au toucher, sont-ils secs ou collants?

Dégagent-ils une odeur particulière?

De quelle façon sont-ils disposés le long des rameaux, en alternance ou en vis-à-vis?

Le port

Quelle est la forme générale de l'arbre?

Ses branches sont-elles plus larges au sommet qu'à la base?

Le sommet est-il de forme arrondie ou conique?

Porte-t-il des branches sur tout le tronc, jusqu'au sol, ou seulement à partir d'une certaine hauteur?

Les arbres et les humains

Regarde à l'intérieur de ta maison et essaie d'identifier tout ce qui provient des arbres. Il peut s'agir de nourriture ou d'objets en bois ou en papier. Maintenant, essaie d'imaginer une maison où tous ces produits manqueraient. Tu comprends maintenant pourquoi on dit que les arbres sont omniprésents dans nos vies et essentiels à notre survie.

Les arbres jouent aussi un rôle très important dans la nature. Bien des animaux vont y chercher leur nourriture et y installer leur nid. Leurs branches garnies de feuilles créent une ombre rafraîchissante et ralentissent la course des grands vents. Les racines fixent le sol et l'empêchent d'être emporté par la pluie ou le vent. Et, dans le processus de la photosynthèse, les arbres absorbent le gaz carbonique contenu dans l'air pour rejeter ensuite de l'oxygène, dont les animaux et les humains ont besoin pour survivre.

Tout connaître sur la vie d'un arbre

Les arbres n'ont pas besoin de savoir parler pour te raconter leur vie. Il te suffit de les examiner de près, et tu sauras à quel âge tel arbre a été coupé ou de combien de centimètres il a grandi au cours de telle ou telle année.

Lors d'une promenade en forêt, repère une vieille souche et examines-en la tranche. En humectant celle-ci, tu verras une série de cercles, alternativement pâles et foncés. Les cercles pâles correspondent à la croissance rapide de l'arbre au printemps et au début de l'été. Les cercles foncés correspondent à sa croissance plus lente, à la fin de l'été et au début de l'automne. Donc chaque paire de cercles, l'un pâle et l'autre foncé, représente une année de croissance. Il te suffit de compter les paires de cercles, du centre vers la périphérie, pour connaître l'âge de l'arbre au moment où il a été coupé.

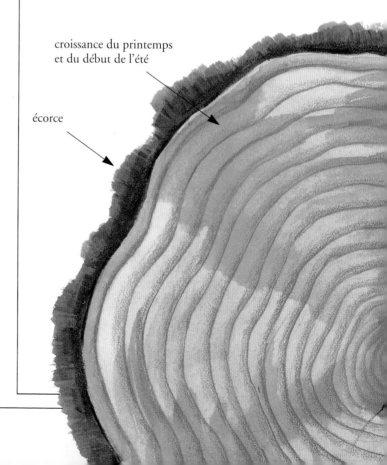

croissance du printemps et du début de l'été

écorce

L'hiver est un moment idéal pour examiner les branches et les rameaux des feuillus, puisqu'ils sont entièrement visibles. Choisis un rameau dans un feuillu et, en l'examinant à partir de son extrémité, cherche un petit renflement circulaire. Cet anneau correspond au point de départ de la pousse de l'année courante. Toute la partie du rameau qui se trouve entre cet anneau et l'extrémité représente la pousse de la dernière belle saison. Tu peux mesurer celle-ci avec une règle, si tu veux. Et si tu effectues cette mesure chaque année, sur plusieurs arbres de ton voisinage, tu pourras suivre leur croissance de près, ou reconnaître ceux qui poussent plus vite que les autres.

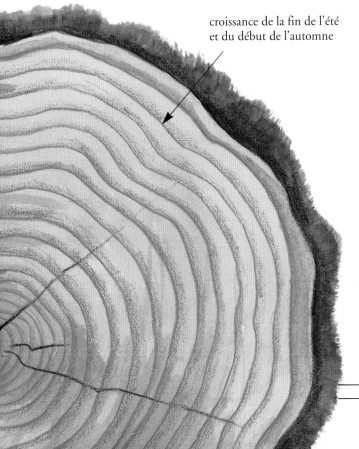

croissance de la fin de l'été et du début de l'automne

À chaque province son arbre

La feuille d'érable est l'emblème du Canada. De la même façon, la plupart des provinces canadiennes se sont choisi un arbre pour les représenter. Quel est celui de la province où tu habites? Le Yukon et le Nunavut n'en ont pas pour le moment.

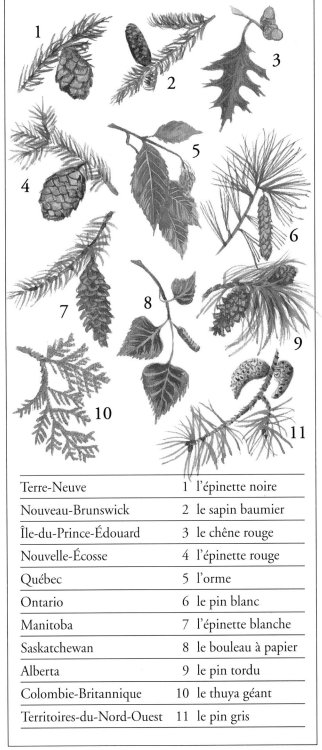

Terre-Neuve	1	l'épinette noire
Nouveau-Brunswick	2	le sapin baumier
Île-du-Prince-Édouard	3	le chêne rouge
Nouvelle-Écosse	4	l'épinette rouge
Québec	5	l'orme
Ontario	6	le pin blanc
Manitoba	7	l'épinette blanche
Saskatchewan	8	le bouleau à papier
Alberta	9	le pin tordu
Colombie-Britannique	10	le thuya géant
Territoires-du-Nord-Ouest	11	le pin gris

Les espèces menacées

Lorsqu'un animal se sent menacé, il peut se sauver ou se cacher pour échapper au danger. Mais les arbres n'ont aucun moyen de défense lorsqu'ils sont attaqués par les insectes ou la maladie, qu'ils se font abattre ou que leur habitat est détruit. Certaines espèces sont considérées comme menacées, au Canada, et pourraient disparaître complètement dans peu de temps, si rien n'est fait pour les sauver.

Toutes les espèces menacées au Canada appartiennent à la forêt de feuillus du sud-ouest de l'Ontario. Leur habitat a été détruit par la coupe de bois intensive,

l'expansion de l'agriculture et la construction de routes et de maisons. Heureusement, quelques arbres ont pu être préservés, dans des jardins publics ou privés et dans des parcs naturels. Les organismes œuvrant pour la protection de l'environnement, de même que les administrations locales, cherchent également à convaincre tous ces exploitants qu'il est important de préserver l'habitat de ces espèces menacées.

TU PEUX AIDER AUSSI!

Tu peux contribuer à la protection des arbres de ton voisinage et du Canada. Commence par rappeler à tes amis et à ta famille le rôle important des arbres dans la nature et aussi dans notre vie quotidienne. Sur la page ci-contre, tu trouveras des façons de contribuer à la sauvegarde des arbres.

Conseil municipal

À qui de droit,
Ce serait une bonne idée
de planter des arbres
tout le long de ma rue
et dans le parc. Il y
aurait

1. Rappelle à tes amis qu'il ne faut jamais arracher l'écorce des arbres, ni y pratiquer des entailles. L'écorce protège l'arbre contre les insectes, les moisissures et les maladies.

2. Demande à tes parents de ne pas couper les arbres dans leur jardin. Plantes-y toi-même un nouvel arbre, s'il y a encore de la place. Les arbres attirent toutes sortes d'animaux, dont les oiseaux, qui y trouvent leur nourriture et un abri.

3. Écris au conseil municipal de ta localité pour demander qu'on plante plus d'arbres le long des rues et dans les jardins publics. Dans ta lettre, explique combien les arbres sont importants.

4. Demande à ton professeur si tu peux, avec les amis de ta classe, planter un arbre sur le terrain de l'école et en prendre soin. Tu pourrais le proposer comme activité de ta classe en l'honneur de la journée de la Terre.

5. Participe activement aux campagnes de financement d'un organisme canadien voué à la sauvegarde des arbres et des forêts, en faisant du porte-à-porte ou en organisant une vente-débarras d'objets de papier ou de bois.

6. Contribue à la sauvegarde des arbres en prenant l'habitude de ne jamais gaspiller le bois et le papier et de mettre au recyclage tout ce qui est récupérable. Demande à tes parents de toujours acheter des produits faits de papier recyclé. Évite d'utiliser les assiettes et les tasses de carton jetables, de même que les serviettes de papier. Achète toujours des produits qui présentent le moins d'emballage possible. Dépose au recyclage les journaux, les boîtes de carton et le papier déjà utilisé des deux côtés.

Savais-tu que chaque demi-tonne métrique de papier recyclé permet de sauver 17 arbres de la coupe?

Fais pousser un arbre toi-même

Tu peux faire pousser un arbre en plantant une graine dans ton jardin ou dans un grand pot à fleurs. Tu peux profiter de l'occasion pour souligner un événement particulier, comme le jour de ton anniversaire ou celui d'un de tes proches, par exemple. Un arbre qu'on regarde grandir, c'est un cadeau pour toute la vie. Pour planter ton arbre, choisis un endroit bien dégagé, où il pourra s'épanouir sans nuire à d'autres activités. Pour te procurer une graine, tu n'as qu'à aller en chercher une sous un arbre de ton voisinage ou en prélever une d'un fruit qui pousse dans ta région. Tu peux aussi en acheter à la jardinerie. Une fois ta graine plantée, prends-en soin pour qu'elle germe et que la jeune pousse grandisse bien. Au fil des saisons, tu pourras observer la croissance de ton arbre, les changements qu'il subit et les formes de vie animale qui s'y installent. Note tes observations dans un carnet que tu garderas en souvenir.

Il te faut :

une graine, comme le pépin d'une pomme, un marron d'Inde, la samare d'un érable ou le noyau d'une pêche

une pelle

du compost (facultatif)

de l'eau

du gravier et du terreau d'empotage

un grand pot à fleurs en plastique (facultatif)

1. Si tu as choisi de planter une graine d'un arbre de ton voisinage, tu peux le faire dès l'automne, avec une graine que tu ramasseras au sol et que tu planteras immédiatement, ou plus tard, au printemps, avec une graine germée. Tu reconnaîtras une graine germée au fait qu'elle est éclatée et possède au moins une petite racine blanchâtre, sinon deux petites feuilles vertes en plus. Pour trouver une graine germée, regarde au sol, sous un érable, un marronnier d'Inde, un orme, un chêne ou toute autre espèce d'arbre qui produit des graines en abondance.

2. Creuse un petit trou dans le sol, à l'endroit où tu as choisi de planter la graine. Aère la terre des parois et du fond du trou, afin de permettre aux racines de s'étendre aisément. Ajoute un peu de compost, puis de l'eau.

3. Dépose délicatement la graine dans le trou et recouvre-la de terre. Si la graine a déjà commencé à germer, prends bien garde de ne pas en abîmer la racine. Et si elle a de petites feuilles, ne les recouvre pas de terre.

4. Afin de prévenir les accidents, entoure ton arbrisseau d'une petite clôture faite de branches ou encore, de celles qu'on achète à la jardinerie.

5. Si tu as choisi de faire pousser un arbre en pot, garnis le fond de celui-ci avec un peu de gravier, qui permettra à la terre de se drainer, avant de le remplir de terreau d'empotage. Fais un petit trou à la surface du terreau, bien centré, et remplis-le d'eau. Plante la graine et recouvre-la de terreau. Si tu as choisi une graine d'un arbre de ton voisinage, tu peux la laisser dans son pot, dehors, tout l'hiver.

6. Quand ton arbrisseau aura atteint une certaine hauteur, il aura peut-être besoin d'un tuteur, afin de l'aider à pousser bien droit.

INDEX